folio cadet ■ premières lectures

Pour Zöe et Katy

Traduction de Claude Lauriot-Prévost
Maquette : Barbara Kekus

ISBN : 978-2-07-062751-6
Titre original : *The Boy who Cried Wolf*
Publié pour la première fois par Andersen Press Ltd., Londres
© Tony Ross 1985, pour le texte et les illustrations
© Gallimard Jeunesse 1985, pour la traduction française, 2009, pour la présente édition
Numéro d'édition : 293371
Loi n° 49-956 du 16 juillet 1949 sur les publications destinées à la jeunesse
Premier dépôt légal : septembre 2009
Dépôt légal : août 2015
Imprimé en France par I.M.E.

Le garçon qui criait : « Au loup ! »

Tony Ross

GALLIMARD JEUNESSE

1

Il était une fois un garçon
qui vivait de ce côté-ci des
montagnes. Il s'appelait Louis.

De l'autre côté des montagnes vivait un loup. Personne ne savait comment il s'appelait.

Le loup était très chic
(pour un loup, bien sûr).

Parfois il enfilait son habit
et s'en allait dîner par-delà
les montagnes... car il aimait
surtout manger les gens.

Alors, tout le monde,
de ce côté-ci des montagnes,
avait très peur de lui.

2

Chaque fois que Louis
n'avait pas envie de faire
quelque chose,

prendre son bain par exemple,
il criait :
– Au loup !
(même s'il n'y avait pas de loup).

Et, comme les gens avaient peur du loup, Louis se retrouvait seul et faisait tout ce qu'il voulait.

3

Une fois par semaine, Louis
prenait sa leçon de violon.

Il n'aimait pas cela du tout.
Alors il criait :
– Au loup ! (même sans loup
évidemment).

Tout le monde se sauvait,
et Louis jouait la musique
qu'il aimait.

De temps en temps, il criait
« Au loup ! »
simplement pour s'amuser.

Un jour que Louis faisait un tour dans la montagne, le loup bondit de derrière un rocher.

– Au loup! hurla Louis.
Et il courut vers le village
en criant:
– Au loup! Au loup!

Mais sa grand-mère ne le crut pas.
– Tu racontes tout le temps
la même chose! Change
de refrain! dit-elle.

– Au loup ! criait toujours
Louis.
Mais personne ne l'écoutait.

– Au secours ! hurlait le pauvre
garçon.
Tout le monde riait.
– Tu te moques encore de nous !
lui dirent les grandes personnes.

Le loup rattrapa Louis. Alors
les grandes personnes dirent
au garçon :
– Cela t'apprendra à dire
des mensonges !

À ces mots, le loup eut une idée : il décida de laisser Louis tranquille...

... et de manger
les grandes personnes.

Ensuite...

... il eut une autre idée :
il dégusta Louis pour
son dessert !

Que voulez-vous, c'est la vie !

L'auteur-illustrateur

Tony Ross est né à Londres en 1938. Après des études de dessin, il travaille dans la publicité. Devenu professeur à l'École des beaux-arts de Manchester, il révèle de nouveaux talents dont Susan Varley. En 1973, il publie ses premiers livres pour enfants. Sous des allures de rêveur fantaisiste et volontiers farceur, Tony Ross est un travailleur acharné : on lui doit des centaines d'albums, de couvertures, d'illustrations de fictions. L'abondance de son œuvre n'a d'égale que sa variété. Il est capable de mettre son talent au service des textes des plus grands auteurs, tels que Roald Dahl,

Oscar Wilde, Paula Danziger, ou encore Jeanne Willis avec laquelle il a créé de nombreux albums publiés chez Gallimard Jeunesse : *Je veux être une cow girl, La promesse, Je déteste l'école,* etc. Il a écrit et illustré des albums inoubliables, parmi lesquels *Le garçon qui criait : « Au loup ! »*. Il est aussi le créateur du personnage de la petite princesse : *Je veux manger !, Je ne veux pas aller à l'hôpital !, Je veux une petite sœur !, Je veux mon p'tipot !,* etc.

Tony Ross est amateur de voile. Une grande exposition, intitulée « Des yeux d'enfant », lui a été consacrée à Saint-Herblain au printemps 2001.

n° 1 *Armeline Fourchedrue*
par Quentin Blake

n° 2 *Je veux de la lumière !*
par Tony Ross

n° 3 *Le garçon qui criait :*
« Au loup ! »
par Tony Ross

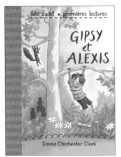

n° 4 *Gipsy et Alexis*
par Emma Chichester Clark

n° 5 *Les Bizardos rêvent*
de dinosaures par Allan
Ahlberg et André Amstutz

n° 11 *Je veux une petite sœur !*
par Tony Ross

n° 12 *C'est trop injuste !*
par Anita Harper
et Susan Hellard

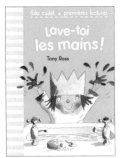

n° 16 *Lave-toi les mains !*
par Tony Ross

n° 20 *Crapaud*
par Ruth Brown

n° 23 *Les Bizardos*
par Janet et Allan Ahlberg

n° 25 *Bonne nuit, petit dinosaure!* par Jane Yolen
et Mark Teague

n° 27 *Meg et la momie*
par Helen Nicoll
et Jan Pieńkowski

n° 28 *But!*
par Colin McNaughton

n° 37 *Grand-Mère Loup,
y es-tu?*
par Ken Brown

n° 39 *Je veux ma dent!*
par Tony Ross

n° 40 *J'ai vu un dinosaure*
par Jan Wahl
et Chris Sheban

→ **je lis tout seul**

Pour les jeunes apprentis lecteurs
Niveau 2

n° 9 *Timioche*
par Julia Donaldson
et Axel Scheffler

n° 13 *Le monstre poilu*
par Henriette Bichonnier
et Pef

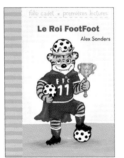

n° 21 *Le roi FootFoot*
par Alex Sanders

n° 22 *La reine RoseRose*
par Alex Sanders

n° 31 *Un chat de château*
par Janine Teisson
et Clément Devaux

n° 32 *C'est le néléchat!*
par Marie Leymarie
et Clotilde Perrin

n° 34 *Les tricots de Mireille
l'Abeille*
par Antoon Krings

n° 36 *Les Pyjamasques
au zoo*
par Romuald